Maullidos, gruñidos

y otros sonidos.

Texto: Claudia Canales
Ilustraciones: Isabel Arnaud

editorialserpentina

COLECCIÓN PALABRARIO

COLECCIÓN PALABRARIO

© Claudia Canales.
© Isabel Arnaud Jiménez, por las ilustraciones.

Primera edición Editorial Serpentina, 2006.

D.R. © Editorial Serpentina, S.A. de C.V.,
     Santa Margarita 430, colonia Del Valle.
     03100 México, D.F.
     Tel/Fax (5) 5559 8338/8267
     www.serpentina.com.mx
     www.editorialserpentina.com

ISBN: 968-5950-09-1

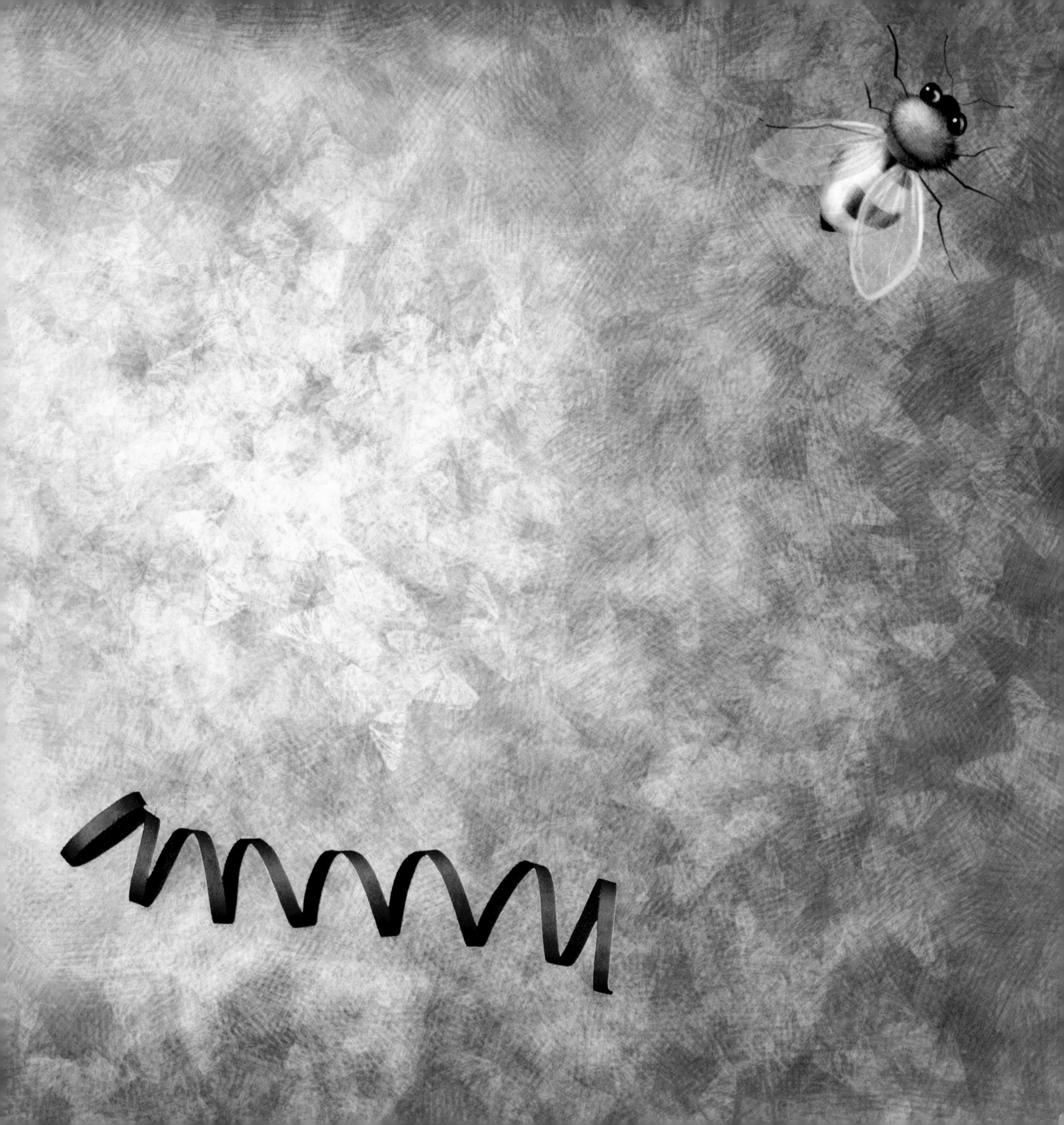

—¿Te gustan los animales?
—¿Y a quién no le gustan los animales?
—¿Por qué contestas mi pregunta
con otra pregunta?

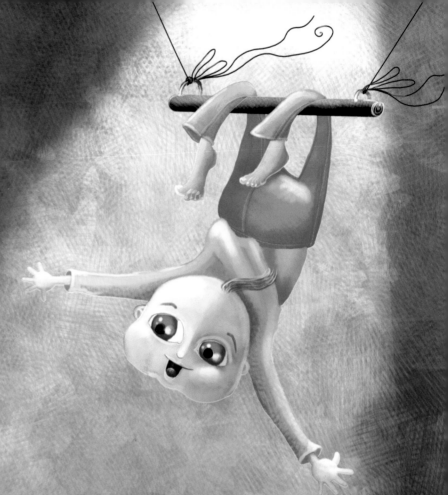

—¿Por qué haces preguntas bobas?

—¿Qué tiene de boba mi pregunta?

—¡¿Que qué tiene de boba tu pregunta...?!

—¿De qué te asombras?

—¿Por qué no volvemos a empezar de nuevo?, ¿te parece?

—¿Ya no me vas a contestar con otra pregunta?

—¿Ya no me vas a hacer preguntas bobas?

—No, ya no te voy a hacer preguntas bobas. A ver,...

...¿qué sonido hacen los borregos?
—¿Sonido?, ¿los borregos...?
—Dijiste que no me ibas a contestar
con otra pregunta.
—Cierto, cierto. No lo sé. Desconozco qué sonido
hacen los borregos.
—Los borregos balan, dan balidos: Bee-eé, bee-eé.
—¿Y los becerros? Algún sonido deben hacer
también los becerros, ¿no?
— Claro, berrean; los becerros emiten berreos:
Braa, braa.

6

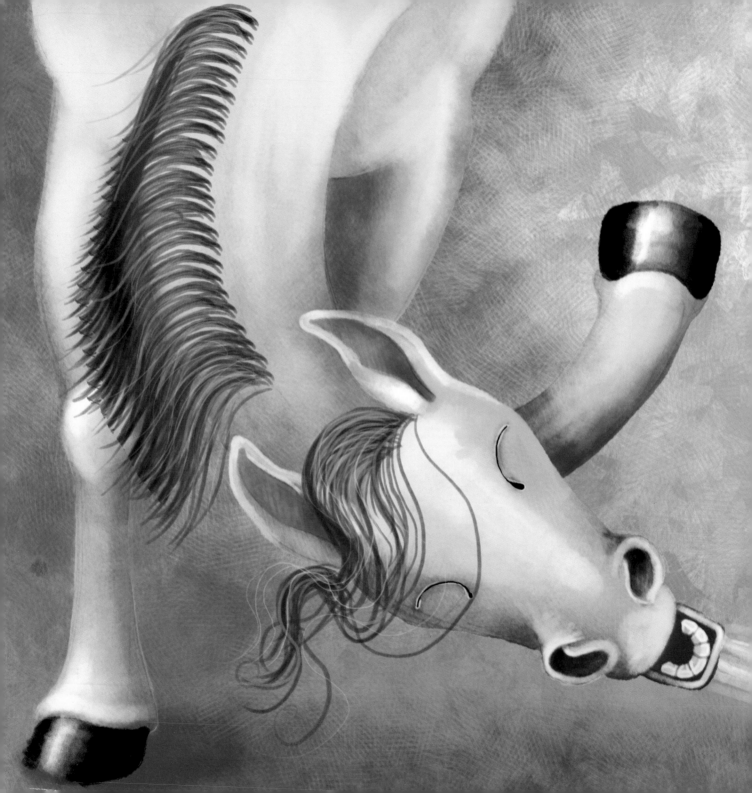

—Pues yo me sé el sonido que hacen los caballos, y no presumo.

—A ver, dímelo.

—Los caballos relinchan: Jiií, jiií. Eso es un relincho.

—Estoy de acuerdo, eso es un relincho. Pero los caballos no sólo relinchan, a veces también bufan.

—¿De veras? De los bufidos no estaba enterado.

—Pues para que veas: los caballos relinchan y bufan.

—Bueno, pues ya que eres tan sabia, ¿sabes algo
de toros?, ¿conoces qué ruido hacen?

—Lo sabía, pero ya se me olvidó.

—¡Mentirosa!, nunca lo has sabido. Los toros
braman, dan bramidos.

—¿Igual que sus novias las vacas?

—No. Las vacas, a diferencia de los toros, mugen,
emiten mugidos: Muuuu, muuuu.

—No creo que conozcas tantos sonidos animales
como yo.

—Me sé un montón. Pregúntame otro.

CLO-CLO

groinC

—Mmm...,

—¿Vas a mugir?

—¡Por supuesto que no! Estoy pensando.
¡Ya sé! Dime cómo se llama el sonido
que hacen las gallinas.

—Cacareo. Las gallinas cacarean: Clo, clo, clo.

—¿Y las ranas?

—Las ranas croan: Crua, crua, crua.
Los sapos también.

—¿Y los cerdos?, ¿qué hay con los cerdos?

—Muy fácil: dan gruñidos.
Los cerdos gruñen: Groinc, groinc.

CRUa!

13

—Ya veo. Te sientes muy experto en esto
de los animales, ¿verdad?, pero no eres
el único. Yo te puedo hablar del caso
de los perros.

—¡Uy, qué fácil! Eso todo mundo
lo sabe: Los perros ladran,
dan ladridos: Guau, guau.

—Pero no solamente. Los perros
también gruñen o gañen.
Dan gruñidos cuando
están enojados
y gañidos

cuando algo les duele.

—¿Y cuando están tristes?

—Cuando están tristes aúllan, igual que los lobos.

—A ver, da un aullido.

—Auuuu. Pero así no resulta tan emocionante, suena mejor en la no- che. Los perros y los lobos aúllan de noche.

15

—¿Y los pájaros?, ¿sólo cantan?
—¡Ay no!, ¿cómo crees? Los pájaros hacen
muchas cosas.
—¿Como qué?
—Trinan, gorjean.
—Gor...¿qué?
—Gorjean. El gorrión, por ejemplo, que canta
muy bonito, emite gorjeos.

—A ver, gorjea tú.

—No puedo. Hace falta ser gorrión para poder gorjear.

—¿Te gustaría ser gorrión?

—No creo, preferiría ser un ave con un sonido más interesante.

17

—¿Un sonido más interesante?, ¿como cuál?
—Como el de los gansos, las palomas o los patos.
Como el de las grullas o las cigüeñas.
—Se me hace que me estás tomando el pelo. No creo
que cada una de esas aves tenga un sonido propio.
—Claro que sí: Los gansos graznan,
emiten graznidos, y las palomas zurean,
emiten zureos. En cambio, los patos parpan,
las grullas grúen y las cigüeñas crotoran.

—¿Las cigüeñas crotoran?
¡Eso jamás me lo imaginé! Que los gansos
graznaran, y las palomas zurearan,
y los patos parparan, y las grullas gruaran,
y las cigüeñas crotoraran
jamás me lo imaginé.
¡Parece un trabalenguas!

—Y eso no es todo: las perdices
cuchichían y los cuervos crascitan.
—¿Los cuervos queeé?
—Cras-ci-tan.
—Que los cuervos crascitaran,
y las perdices cuchichiaran,
y las cigüeñas... A ver, crascita tú.
—No puedo. Hace falta
ser cuervo para poder crascitar.
—Entonces, cuchichía.

—Tampoco puedo.
Hace falta ser perdiz para
poder cuchichiar.

—Bueno, entonces dejemos en paz
a las aves, que al parecer son
muy escandalosas, y mejor regresemos
a los animales que cantan. De ellos sí puedo
hablar mucho.

—¡No seas tramposo!, eso ya lo dijimos.
Ya dijimos que los pájaros cantan.

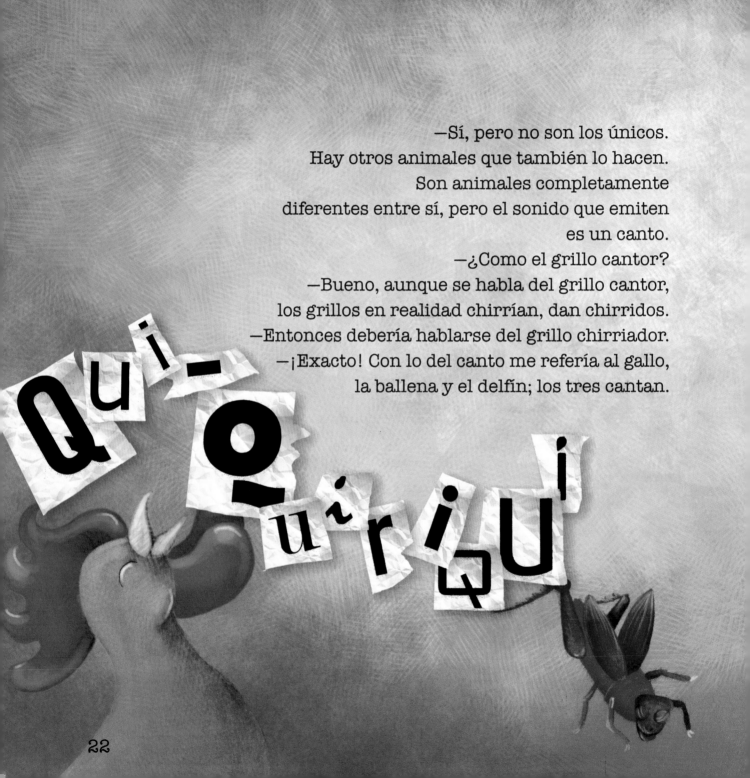

—Sí, pero no son los únicos.
Hay otros animales que también lo hacen.
Son animales completamente
diferentes entre sí, pero el sonido que emiten
es un canto.
—¿Como el grillo cantor?
—Bueno, aunque se habla del grillo cantor,
los grillos en realidad chirrían, dan chirridos.
—Entonces debería hablarse del grillo chirriador.
—¡Exacto! Con lo del canto me refería al gallo,
la ballena y el delfín; los tres cantan.

Qui-Quiriquí

—Está fácil. Eso del canto está fácil y,
por lo que veo, es bastante común.
A nosotras las niñas nos
gustan las cosas más
originales.

—¿Tan originales como una mosca
en la oreja? ¿Alguna vez has tenido
una mosca cerca de la oreja?
—Sí, muchas veces.
—¿Y cómo sabes que tienes una mosca
cerca de la oreja si no tienes
ojos en las orejas?
—Pues muy sencillo: por
el sonido que hace.

24

—¿Y cómo se llama ese sonido?

—Eso sí no lo sé.

—¡Me lo imaginaba! Pues para
que lo sepas: se llama zumbido.
Las moscas, igual que los mosquitos
y las abejas, zumban.

25

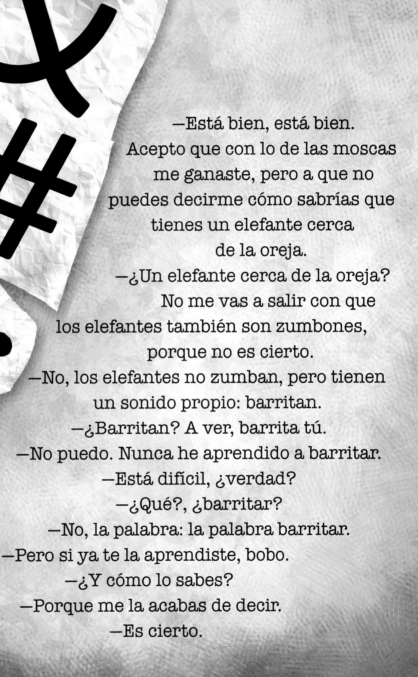

—Está bien, está bien.
Acepto que con lo de las moscas
me ganaste, pero a que no
puedes decirme cómo sabrías que
tienes un elefante cerca
de la oreja.
—¿Un elefante cerca de la oreja?
No me vas a salir con que
los elefantes también son zumbones,
porque no es cierto.
—No, los elefantes no zumban, pero tienen
un sonido propio: barritan.
—¿Barritan? A ver, barrita tú.
—No puedo. Nunca he aprendido a barritar.
—Está difícil, ¿verdad?
—¿Qué?, ¿barritar?
—No, la palabra: la palabra barritar.
—Pero si ya te la aprendiste, bobo.
—¿Y cómo lo sabes?
—Porque me la acabas de decir.
—Es cierto.

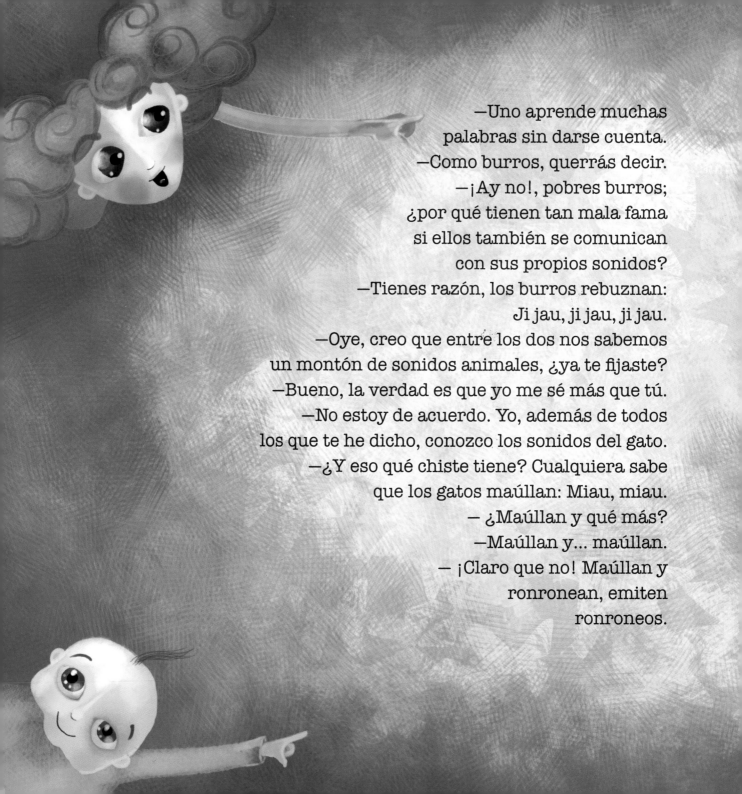

—Uno aprende muchas
palabras sin darse cuenta.
—Como burros, querrás decir.
—¡Ay no!, pobres burros;
¿por qué tienen tan mala fama
si ellos también se comunican
con sus propios sonidos?
—Tienes razón, los burros rebuznan:
Ji jau, ji jau, ji jau.
—Oye, creo que entre los dos nos sabemos
un montón de sonidos animales, ¿ya te fijaste?
—Bueno, la verdad es que yo me sé más que tú.
—No estoy de acuerdo. Yo, además de todos
los que te he dicho, conozco los sonidos del gato.
—¿Y eso qué chiste tiene? Cualquiera sabe
que los gatos maúllan: Miau, miau.
— ¿Maúllan y qué más?
—Maúllan y... maúllan.
— ¡Claro que no! Maúllan y
ronronean, emiten
ronroneos.

29

—Eso nunca lo había oído, pero a qué tú nunca
habías oído que los pollos pían.
—Desde luego que sí; hacer pío, pío es piar.
—Entonces, dime qué es lo que hace el león.
—¿El león? No recuerdo qué hace el león
además de comer mucha carne.
—Pues además de comer mucha carne,
el león ruge, da rugidos: Grrrar, grrrar.
—¡Cierto!, ¡cierto!, ¿cómo se me pudo olvidar?
—Por olvidadiza.

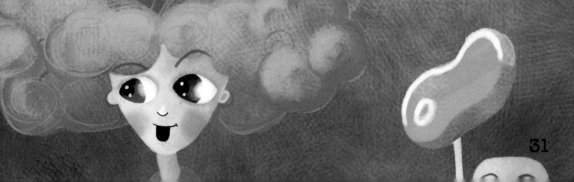

—Bueno, yo puedo ser olvidadiza,
pero tú no conoces todas las palabras que
existen, y te lo voy a demostrar:
a que no me dices
qué sonido emiten las lombrices.
—¿Las lombrices? Pues... pues yo creo
que las lombrices no emiten ningún sonido.
—Han de sentirse un poco incómodas,
¿no crees?
—Tal vez, porque no pueden comunicarse
ni expresar nada.
—En cambio, nosotros podemos
comunicarnos y expresarlo todo
gracias a las palabras.

—¿Y cómo se llama el sonido que
hacen las palabras?
—Se llama habla. Los hombres hablan.
—Y las mujeres también.
Tú no has dejado de hablar.
—No, no he dejado de hablar porque
conozco más palabras
que tú. Dije balido y berrreo
y bufido y...
—Y yo dije relincho, cacareo y...
— Y yo dije...

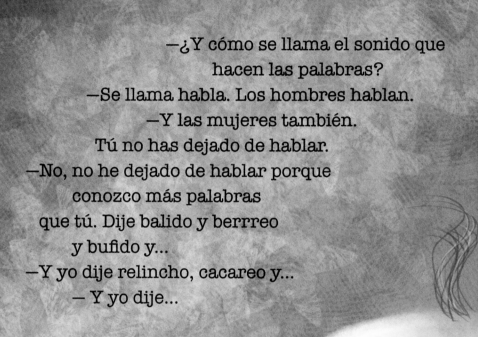

JUEGO
Maulli

de los

dos

Encuentra en la lista los sonidos que corresponden a cada animal.

GRILLO

GATO

GORRIÓN

CIGÜEÑA

PERRO

MOSQUITO

PERDIZ

ABEJA

LEÓN

GRULLA

SAPO

ELEFANTE

DELFÍN

RANA

TORO

GALLINA

POLLO

CERDO

PATO

GALLO

BURRO

BORREGO

HOMBRE

LOBO

VACA

BECERRO

CABALLO

GANSO

PALOMA

MOSCA

MUJER

BALLENA

PÁJARO

CUERVO

Aullar/aullido
Balar/balido
Barritar/barrito
Berrear/berreo
Bramar/bramido
Bufar/bufido
Cacarear/cacareo
Cantar/canto
Chirriar/chirrido
Crascitar
Croar
Crotorar
Cuchichiar/cuchichío
Gañir/gañido
Gorjear/gorjeo
Graznar/graznido
Gruir
Gruñir/gruñido
Hablar/habla
Ladrar/ladrido
Maullar/maullido
Mugir/mugido
Parpar
Piar
Rebuznar/rebuzno
Relinchar/relincho
Ronronear/ronroneo
Rugir/rugido
Trinar/trino
Zumbar/zumbido
Zurear/zureo

Maullidos, gruñidos y otros sonidos
se terminó de imprimir en abril de 2006
en los talleres de Compañía Editorial Ultra, S.A. de C.V.,
con domicilio en Centeno 162, colonia Granjas Esmeralda,
en la Ciudad de México.